ISABELLE SAVAGE

Mon cahier de Dictées

2e année

TOUT POUR SE PRÉPARER ET RÉUSSIR !

- **Rappel des notions**
- **Exercices**
- **Dictées**

CARACTÈRE

NOM : _____

Conception de la couverture : Micho Design/illustrations
Illustrations : Daniel Rainville
Conception graphique et mise en pages : André Vallée - Atelier typo Jane
Révision : Hélène Bard
Correction d'épreuves : Marie Théorêt

Imprimé au Canada

ISBN : 978-2-89642-136-7
Dépôt légal – Bibliothèque et Archives nationales du Québec, 2008
© 2008 Éditions Caractère

Nous reconnaissons l'aide financière du gouvernement du Canada par l'entremise du
Programme d'aide au développement de l'industrie de l'édition (PADIÉ) pour nos activités d'édition.

Canada

Visitez le site des Éditions Caractère
editionscaractere.com

MOT AUX PARENTS

Avant de pouvoir écrire des mots, les enfants doivent connaître l'alphabet et acquérir une connaissance phonologique des lettres et des sons. C'est dans cet esprit que nous avons conçu *Mon cahier de dictée de 2ᵉ année*. Par l'entremise des exercices et des dictées trouées, il mettra en pratique toutes les notions apprises à l'école et il sera en mesure de les intégrer dans divers contextes.

Le cahier est présenté sous une forme qui permet à l'enfant d'apprendre de façon autonome. On lui explique une nouvelle notion qu'il pourra par la suite appliquer dans les dictées proposées. Il aura cependant besoin de votre soutien pour faire la grande dictée finale.

Bonnes dictées !

LES SONS

Les trucs d'Émilio !

*Émilio a découvert que la lettre **n** n'est pas très brave quand elle se retrouve devant un **b** ou un **p**. Pour se donner du courage, elle respire profondément et se transforme en **m**.*

Exemple : le son «**an**» dans ambulance

Émilio est distrait. Elle a échappé son cahier et tous les mots se sont mélangés.

Aide Émilio à écrire les mots correctement.

Utilise les syllabes suivantes.

am	be	bour	cham	jam
fram	lam	jam	pe	cham
gnon	se	bre	bu	tam
bon	lan	boi	pi	ce

a) _____

b) _____

c) _____

d) _____

e) _____

f) _____

g) _____

h) _____

LES SONS

Les trucs d'Émilio !

Il n'y a pas que dans le son « **an** »
que le **n** peut se transformer.
Il se transforme aussi dans les sons
« **en** », « **on** » et « **in** ».

Lis les phrases et choisis dans l'encadré le mot qui est écrit correctement.

a) Les fleurs poussent avec l'arrivée du _____ .

b) Samuel joue de la _____ .

c) Ma sœur porte des _____ rouges.

d) Il y a une grosse _____ de neige dehors.

e) Le _____ éteint le feu.

f) Je lave mes oreilles pour bien _____ les sons.

g) Je colle un _____ sur mon enveloppe.

---

timbre - tinbre   entemdre - entendre   pompier - ponpier

tenpête - tempête   sandales - samdales

tronpette - trompette   printemps - printenps

DICTÉE

Lis les phrases et encercle le bon mot entre les [ ].

La ballerine

Au mois de [décembre, décenbre], ma cousine a gagné un

[concours, comcours] de danse. Elle est devenue la grande

[chanpionne, championne] de son école. Lorsqu'on lui

[demande, demamde] son secret pour être aussi bonne, elle

répond qu'elle mange trois [concombres, conconbres] pour

déjeuner. Elle doit être [prudemte, prudente] car elle s'est

fait mal au mois de [jamvier, janvier]. Elle

est [tombée, tonbée] en sautant sur son

[tranpoline, trampoline]. Ses parents ont

eu très peur et ils ont appelé

[l'anbulance, l'ambulance].

Heureusement, elle ne s'était rien cassé.

Bravo, Lili !

LES SONS

*Il n'y a pas que la lettre **f** qui fait le son « **fff** ».*
*Il y a aussi **ph** qui fait le son « **fff** ».*

1. Lis et complète les phrases. Choisis le mot écrit correctement entre les [ ] et transcris-le.

a) Mon animal préféré est [l'éléphant, l'éléfant] _____.

b) Les [enfants, enphants] _____ s'amusent dans le parc.

c) Ma mère a peur des [fantômes, phantomes] _____.

d) J'aime parler au [téléfone, téléphone] _____.

e) L'équipe gagnante a reçu un [trofée, trophée] _____.

f) Ma sœur se promène dans la [phoret, forêt] _____.

g) Je connais bien mon [alphabet, alfabet] _____.

2. Dans quelle phrase retrouves-tu l'image?

a) 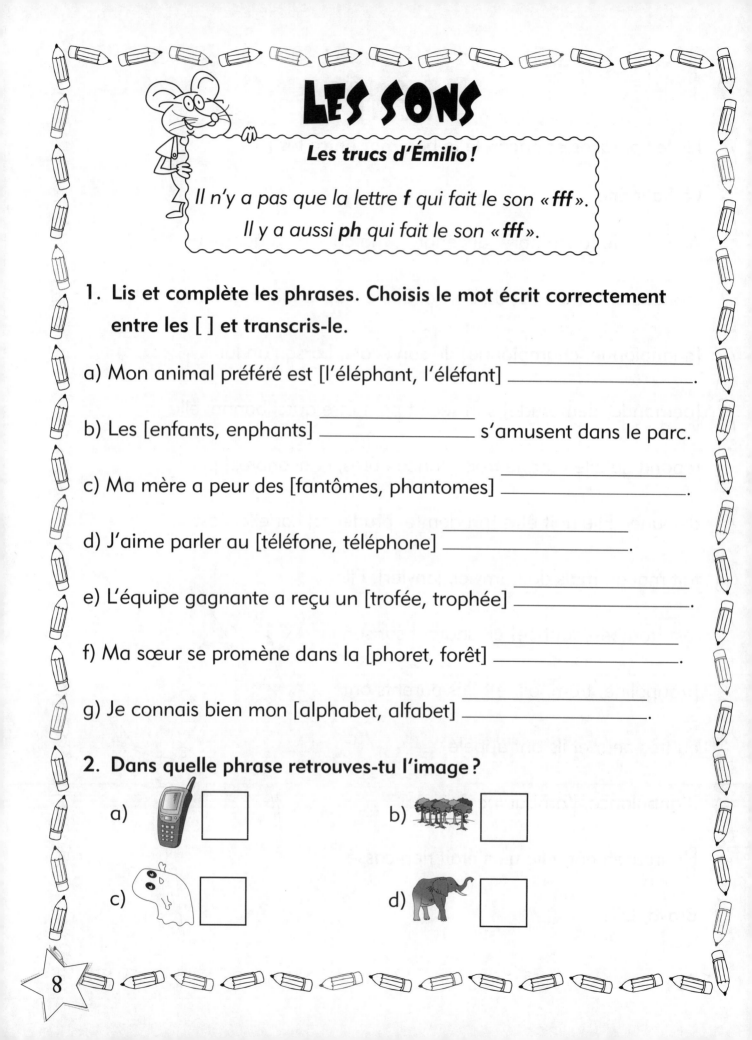 ☐

b) ☐

c) ☐

d) ☐

LES SONS

En voici quelques exemples.

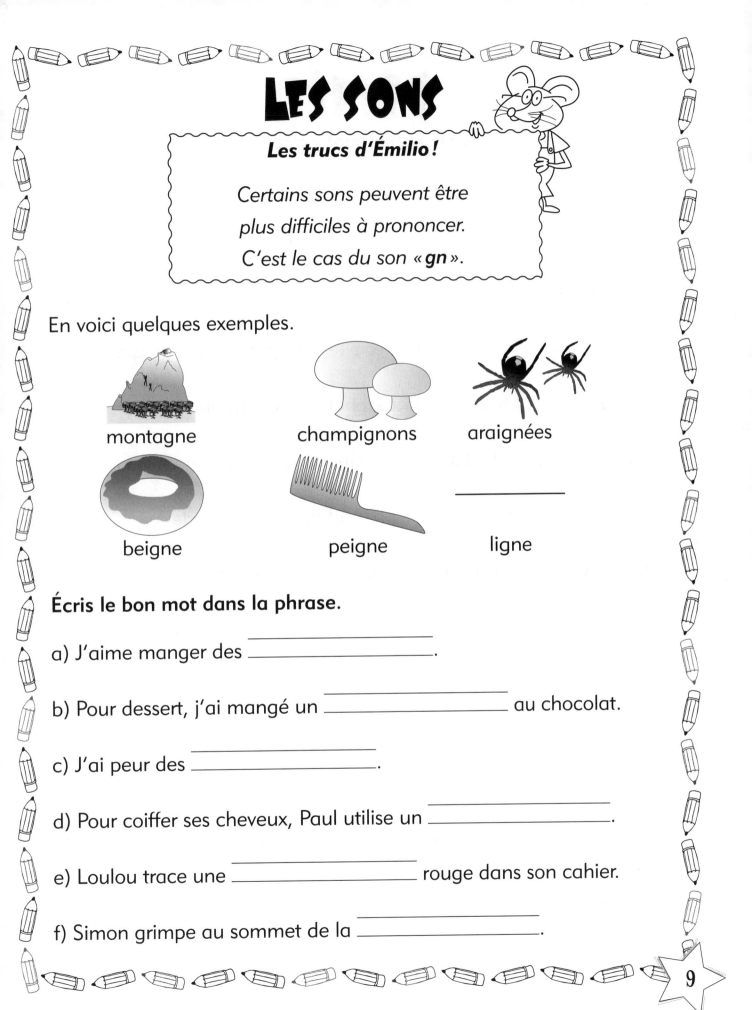

montagne

champignons

araignées

beigne

peigne

ligne

Écris le bon mot dans la phrase.

a) J'aime manger des _____.

b) Pour dessert, j'ai mangé un _____ au chocolat.

c) J'ai peur des _____.

d) Pour coiffer ses cheveux, Paul utilise un _____.

e) Loulou trace une _____ rouge dans son cahier.

f) Simon grimpe au sommet de la _____.

DICTÉE

Lis les phrases et encercle le bon mot entre les [ ].

À vos marques, prêts, partez !

À mon école, il y a un nouveau concours. Un [trofée, trophée] sera

remis à la classe [gagnante, ganiante]. Mais il faut travailler fort pour

[gager, gagner]. On doit respecter plusieurs [consignes, consiges]

très drôles. Il faut trouver la [foto, photo] d'une [araignée, arèniée] et

celle d'un [éléphant, éléfant]. Ensuite, on doit rapidement trouver le

plus de lettres de [l'alfabet, l'alphabet] dans une grande

[baignoire, bènoire] remplie de mousse. La dernière étape est simple.

[L'enseinniant, L'enseignant] imite un animal et ses élèves doivent

deviner le plus vite possible de quoi il s'agit. C'est un concours très

amusant. J'ai bien

hâte à demain

pour connaître la

classe gagnante.

LES SONS

ille comme dans…

la quille	une fille	une bille	un papillon

_____   _____   _____   _____

_____   _____   _____   _____

Complète les mots avec les syllabes de l'encadré.

nille	quill	mille	drille
rille	tille	quille	ville

a) go_____   b) espa_____

c) fa_____   d) che_____

e) co_____   f) ma_____age

g) pas_____   h) che_____

LES SONS

*Si tu places un « **a** » devant le son « **ille** »,*
*tu peux entendre le son « **ail** » ou « **aille** ».*
*Essaie !   **a** - **il**…. **a** - **ille**…*
Reconnais-tu le son ?

ail ou **aille** comme dans…

un chandail

une médaille

un épouvantail

_____   _____   _____
_____   _____   _____

Relie ensemble les syllabes suivantes et écris les mots que tu as réussi à former.

ba	tail
tra	lou
cail	taille
mail	vaille
éven	lot

une _____

un _____

il _____

un _____

un _____

LES SONS

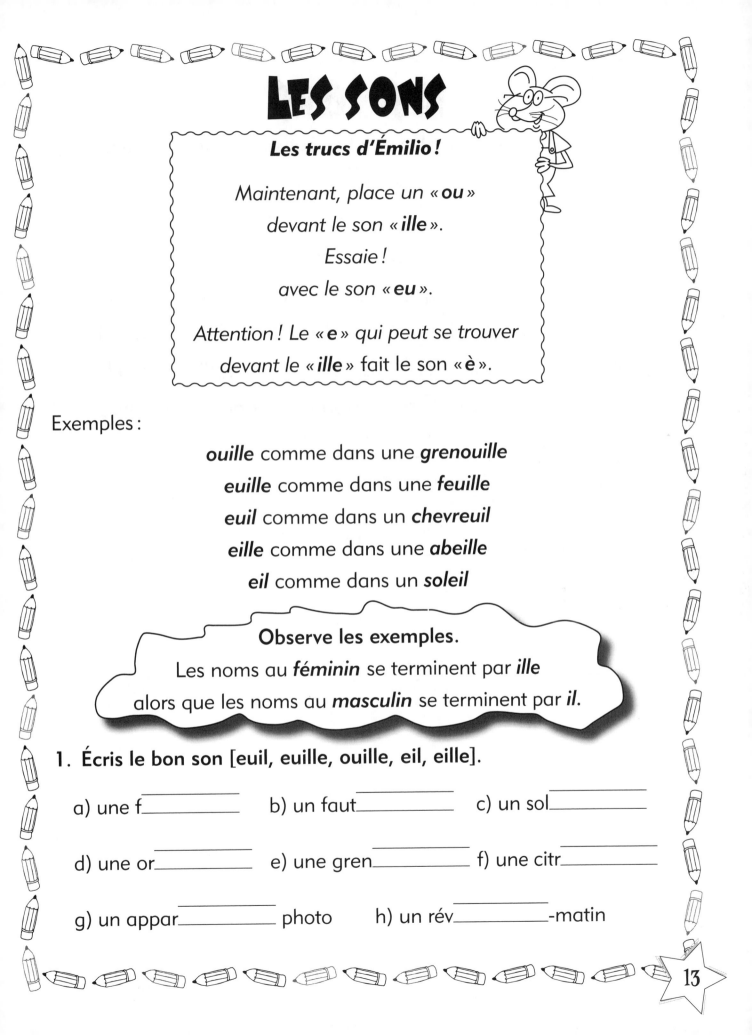

Les trucs d'Émilio!

Maintenant, place un «ou»
devant le son «ille».
Essaie!
avec le son «eu».

Attention! Le «e» qui peut se trouver
devant le «ille» fait le son «è».

Exemples :

ouille comme dans une **grenouille**

euille comme dans une **feuille**

euil comme dans un **chevreuil**

eille comme dans une **abeille**

eil comme dans un **soleil**

Observe les exemples.
Les noms au **féminin** se terminent par **ille**
alors que les noms au **masculin** se terminent par **il.**

1. Écris le bon son [euil, euille, ouille, eil, eille].

a) une f_____

b) un faut_____

c) un sol_____

d) une or_____

e) une gren_____

f) une citr_____

g) un appar_____ photo

h) un rév_____-matin

LES SONS

Écris des mots en utilisant les syllabes qui sont dans le nuage.

so

épou   fau   leil

gre   a   reille   veille

matin   ille   drouille   feu   van

dail   ci   teille   va   beille   teuil

o   tail   bou   ré   nouille   chan   trouille

a) _____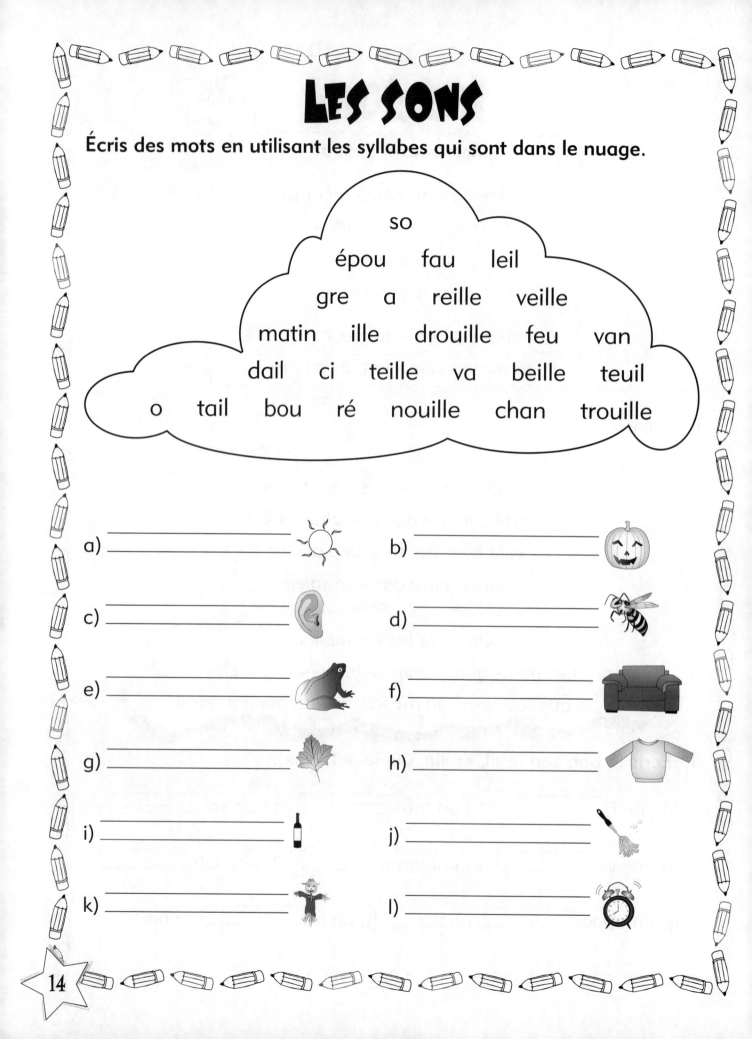

b) _____

c) _____

d) _____

e) _____

f) _____

g) _____

h) _____

i) _____

j) _____

k) _____

l) _____

DICTÉE

Lis les phrases et encercle le bon mot entre les [ ].

À la plage !

Pour nos vacances en [famil, famille], mes parents, ma sœur et moi,

nous allons à la plage. Nous avons toujours du plaisir à ramasser les

[coquillages, coquilages] que nous trouvons sur le sable. Ma mère se

fait bronzer au [soleille, soleil] pendant que papa cherche des

[grenouilles, grenouils] dans le fond de l'eau. Le soleil [brile, brille]

très fort dans le ciel. Il fait

chaud. J'enlève mon

[chandaille, chandail]. Je suis

très confortable dans mon

[maillot, mailot] rouge. Celui

de ma sœur est décoré avec

un gros [papillon, papyon] vert. Comme le temps file ! Je crois que

nous allons rentrer à la maison. Papa et maman retourneront bientôt

[travayer, travailler].

LES GRAPHIES DU SON « È »

Les trucs d'Émilio !

Certains sons peuvent s'écrire
de plusieurs façons (graphies).
C'est le cas du son « **è** ».
On peut l'écrire « **ai** », « **ei** » et « **et** ».
Partons à la découverte des sons !

ai comme dans…

maison

chaise

mitaines

ei comme dans…

beigne

peigne

baleine

et comme dans…

sifflet

bouquet

filet

Complète les mots avec *ai, ei* ou *et*.

a) ar_____gnée   b) l_____t   c) b_____gne   d) siffl_____

e) bracel_____   f) jou_____   g) r_____ne   h) bal_____ne

i) n_____ge   j) l_____ne   k) robin_____   l) alphab_____

LES SIGNES ORTHOGRAPHIQUES

Les trucs d'Émilio !

On peut modifier le son d'une voyelle
si on lui met un accent.
Il y a trois types d'accents :
accent **aigu** (é)
accent **grave** (à, è, ù)
accent **circonflexe** (â, ê, î, ô, û)

1. Écris *a, à* ou *â*.

a) b____teau   b) g____teau   c) t____ble   d) pant____lon

2. Écris é, è ou ê.

a) p____re   b) f____te   c) ____cole   d) ____l____ve

e) t____te   f) fen____tre   g) poup____e   h) lumi____re

3. Ajoute les accents au bon endroit.

a) Ma mere joue de la flute a toute heure.

b) Nicolas decore le cadeau qu'il a prepare pour son frere.

c) Montreal est une grande ile.

d) Amelie habite dans un grand chateau.

e) Ma grand-mere a tres peur des araignees.

LES SIGNES ORTHOGRAPHIQUES

Les trucs d'Émilio !

Le **tréma** se place sur une voyelle
lorsqu'on veut être bien sûr de la prononcer.
Exemple : Noël

La **cédille** se place sous le **c** (dur)
pour qu'il se prononce comme le « s ».
Exemple : garçon

Le **trait d'union** sert à unir
deux mots pour en former un nouveau.
Exemple : grand-maman

Utilise les bulles pour former 10 mots.

avant   casse   arc   nique   souris

fran   cerf   en   pique   midi   gar

çon   volant   chauve   ciel   tête   çais

_____   _____

_____   _____

_____   _____

_____   _____

DICTÉE

Lis les phrases et encercle le bon mot entre les [ ].

Vive la pêche !

Maurice est un gentil [garsson, garçon] qui adore les poissons.

Par contre, il a peur des [grenouils, grenouilles]. L'autre [soir, çoir],

il devait étudier ses [lessons, leçons]. Il a plutôt décidé de sortir

de sa chambre et d'aller à la [pèche,

pêche] avec ses deux amis. Il a pris une

[boîte, boite] de [mais, maïs] dans

l'armoire et son [coffrès, coffret] rempli

d'[hamessons, hameçons]. Ils sont

allés jusqu'à la [rivière, riviére] et ils ont pêché pendant des heures.

Maurice est vraiment un [chanpion, champion] pêcheur. Il

[gage, gagne] toujours le concours du plus grand [nombre, nonbre]

de poissons pêchés. Le soir venu, il est rentré chez lui avec une

[dizène, dizaine] de poissons. Il était bien fier de lui.

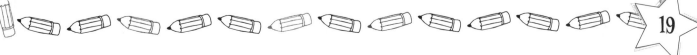

LE DÉTERMINANT

Les trucs d'Émilio !

Le **déterminant** est un petit mot
que l'on met devant un nom.
Il nous indique le genre et le nombre du nom.

Exemples :   ***un*** bateau   ***la*** porte

des bébés   ***les*** feuilles

1. Fais un X sous les déterminants qui peuvent être utilisés.

	le	la	l'	les	un	une	des
a) chameau	X				X		
b) éléphant							
c) jouets							
d) voiture							
e) nuages							
f) arc-en-ciel							
g) grands-parents							
h) épouvantail							
i) princesses							

2. Place les mots au bon endroit.

pompier   bicyclette   automne   feuille   avion

tableau   pinceau   arbre   fleurs   enfants

le	la	l'	les

LE DÉTERMINANT POSSESSIF

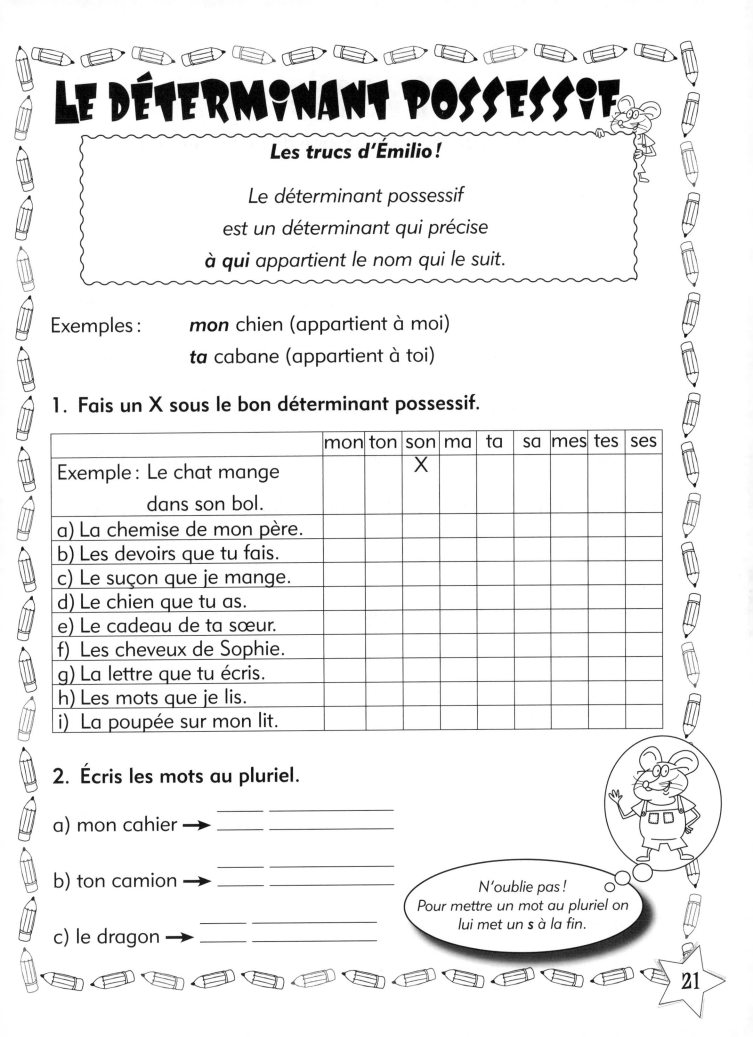

Les trucs d'Émilio !

Le déterminant possessif

est un déterminant qui précise

à qui appartient le nom qui le suit.

Exemples :   ***mon*** chien (appartient à moi)

ta cabane (appartient à toi)

1. Fais un X sous le bon déterminant possessif.

	mon	ton	son	ma	ta	sa	mes	tes	ses
Exemple : Le chat mange dans son bol.			X						
a) La chemise de mon père.									
b) Les devoirs que tu fais.									
c) Le suçon que je mange.									
d) Le chien que tu as.									
e) Le cadeau de ta sœur.									
f) Les cheveux de Sophie.									
g) La lettre que tu écris.									
h) Les mots que je lis.									
i) La poupée sur mon lit.									

2. Écris les mots au pluriel.

a) mon cahier ➡ _____ _____

b) ton camion ➡ _____ _____

c) le dragon ➡ _____ _____

*N'oublie pas !
Pour mettre un mot au pluriel on lui met un **s** à la fin.*

21

DICTÉE

Lis les phrases et encercle le bon groupe de mots entre les [ ].

En camping!

L'été dernier, [ma famille, mon famille] et moi sommes allés faire le

tour de la Gaspésie. Je devais préparer attentivement [mes bagage,

mes bagages] pour m'assurer de ne rien oublier. J'ai apporté avec

moi [des chandail, des chandails] et des chaussettes en grande

quantité pour ne pas avoir froid. J'ai pris [mon maillot, mon maillots]

et ma casquette préférée pour [les journée, les journées] chaudes. À

notre arrivée, [mes parent, mes parents] ont planté la tente tout près

de [le tables, la table] à pique-nique. Nous avons défait nos bagages.

[Ma petite sœur, Mon petite sœur] a pris

[son livres, son livre] de lecture, alors que je

suis allé chercher du bois avec mon père.

Nous avons fait un feu et dormi sous

[la étoile, les étoiles].

Bonne nuit!

LE NOM COMMUN

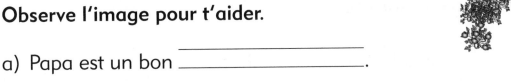

Les trucs d'Émilio !

*Le **nom commun** est un mot qui peut désigner un objet, une personne ou un animal. Je peux mettre un déterminant devant.*

Exemples : une <u>fleur</u>, le <u>boulanger</u>, le <u>cheval</u>

Complète les phrases avec les mots de l'encadré. Observe l'image pour t'aider.

a) Papa est un bon _____ .

b) Il adore prendre soin de ses _____ .

c) Il profite du _____ qui brille dans le _____

pour travailler dans son _____ .

d) Il utilise un _____ pour ramasser les

_____ qui tombent de l'_____ .

e) Lorsqu'il jardine, papa porte une paire de _____

et met un _____ sur sa tête.

f) Attention, _____ ! Tu vas te faire piquer par une _____ .

| chapeau |
| jardin |
| ciel |
| papa |
| jardinier |
| soleil |
| plantes |
| râteau |
| feuilles |
| arbre |
| bottes |
| abeille |

LE NOM PROPRE

Les trucs d'Émilio !

Le **nom propre** est le nom que l'on donne
à une personne, un animal, une chose, un pays ou une ville.
Il commence toujours par une lettre majuscule.

Exemples : Mon amie s'appelle **Marie**.

Mon chien s'appelle **Fido**.

1. Complète le tableau suivant.

	animal	personne	chose	nom commun	nom propre
Antoine		x			x
bibliothèque					
Montréal					
dinosaure					
Caroline					
Nemo					
pupitre					
bricolage					
poisson					
professeur					
Milou					

2. Encercle les erreurs dans les phrases.

Sophie aime jouer avec sa Poupée préférée. Elle s'appelle mini.

Le frère de sophie adore jouer au camion avec son Ami pierrot.

Moi, mon activité préférée, c'est de me promener à vélo avec
mon ourson Bilbo.

L'ADJECTIF

L'adjectif est un mot qui décrit
comment est l'objet, la personne ou l'animal.

Exemples : La pomme **rouge** est **délicieuse**.

Complète les phrases avec les adjectifs dans l'encadré.

a) Julia est une _____ _____ fillette.

b) Elle a de _____ yeux _____ et de belles dents

_____

_____ .

c) Julia porte des lunettes. Cela lui donne un

_____ _____ air taquin.

d) Elle adore porter des robes. Sa robe préférée est

_____ _____

_____ avec des cœurs _____ .

e) Julia a les cheveux _____ comme

un mouton. Ils sont _____ .

f) Julia est _____ . Elle aime jouer des

tours à sa _____ amie.

| meilleure |
| blonds |
| rose |
| bleus |
| jolie |
| grands |
| blanches |
| petit |
| rouges |
| frisés |
| coquine |

25

DICTÉE

Lis les phrases et encercle le bon mot entre les [ ].

D'où venez-vous ?

Dans la classe de ma [sœur, Soeur],

il y a 20 [Élèves, élèves]. Ils viennent

de partout dans le monde. [Sabrina,

sabrina] est une jeune fille qui vient de [l'afrique, l'Afrique]. Son

[petit, petite] frère s'appelle [marco, Marco] et il a quatre ans.

La meilleure [Amie, amie] de [Sabrina, sabrina] vient de la

[chine, Chine]. Elle se prénomme [Kim, kim]. Le papa de Kim

travaille dans une [animalerie, Animalerie]. Il rapporte souvent des

animaux à la [maison, Maison] car ses enfants les adorent. En fait,

ils ont un [perroquet, Perroquet] qui s'appelle [coco, Coco] et un

[lapin, Lapin] qui s'appelle [bozo, Bozo]. Mon copain [maxime,

Maxime] vient du [québec, Québec]. C'est le plus grand [garçon,

Garçon] de ma classe, et surtout, c'est le plus [gentil, gantil].

LE GENRE DU NOM

Les trucs d'Émilio !

Un nom peut être masculin ou féminin. C'est le **genre**.

On peut mettre **une** ou **la** devant le nom **féminin**.

On peut mettre **un** ou **le** devant le nom **masculin**.

1. **Écris *masculin* ou *féminin*.**

   a) citrouille _____   b) voiture _____

   c) téléviseur _____   d) voilier _____

   e) grand-papa _____   f) cuisinière _____

2. **Écris *un* ou *une* devant le nom.**

   a) _____ tableau   b) _____ téléphone

   c) _____ photographie   d) _____ lampe de poche

   e) _____ éléphant   f) _____ boulangère

3. **Écris *le* ou *la* devant le nom.**

   a) _____ cigogne   b) _____ pêcheur

   c) _____ policière   d) _____ grand-maman

   e) _____ patineur   f) _____ pompier

LE NOMBRE DU NOM

Les trucs d'Émilio !

Un nom peut être au singulier ou au pluriel.

C'est le **nombre du nom**.

Singulier : il y en a un seulement.

Pluriel : il y en a plusieurs, il y en a beaucoup.

Règle générale :

Pour mettre un mot au pluriel, on lui ajoute un **s** à la fin.

Exemples :

Singulier		Pluriel
une fleur	→	des fleur**s**
le chien	→	les chien**s**

un et une → des
le, la et l' → les

1. Fais un X dans la bonne colonne.

	singulier	pluriel
a) les marins		
b) la maison		
c) un jouet		
d) ma casquette		
e) les niches		

	singulier	pluriel
f) mes crayons		
g) ton livre		
h) ses bottes		
i) trois ans		
j) ma valise		

2. Écris les mots suivants au pluriel.

a) une élève _____

b) le pompier _____

c) un médecin _____

d) une framboise _____

e) le capitaine _____

f) un professeur _____

LE NOMBRE DU NOM

Les trucs d'Émilio!

*Les mots qui se terminent par **s**, **x**, **z** restent identiques au pluriel.*

Exemples :   un autobu**s** ➝ des autobu**s**

une croi**x** ➝ des croi**x**

un ne**z** ➝ des ne**z**

Mets les mots au pluriel.

a) la flèche   _____

b) une noix   _____

c) la ballerine   _____

d) la perdrix   _____

e) une souris   _____

f) l'épouvantail   _____

g) un astronaute   _____

h) l'ours   _____

i) un pois   _____

À TOI DE JOUER !

**Tu dois maintenant appliquer
ce que tu viens d'apprendre.**

**Lis les phrases et encercle le bon mot
ou groupe de mots entre les [ ].**

Le zoo en folie

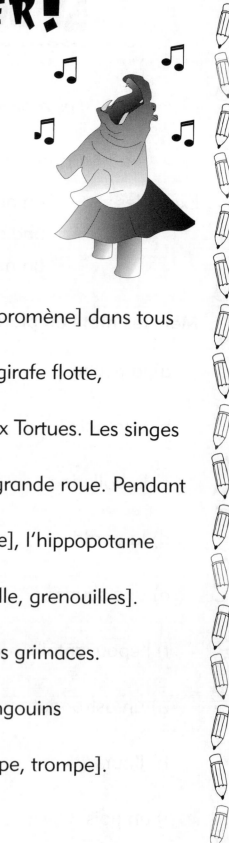

C'est la folie au zoo. Les [animals, animaux]

sont sortis de leurs enclos et ils se [promènent, promène] dans tous

les coins, même les plus [secraits, secrets]. [La girafe flotte,

La girafe cherche] ses taches au fond du lac aux Tortues. Les singes

se suspendent [sur les yeux, par la queue] à la grande roue. Pendant

que le lion coiffe son immense [crinière, criniaire], l'hippopotame

chante des chansons aux centaines de [grenouille, grenouilles].

Elles sautent d'une roche à l'autre en faisant des grimaces.

Les deux [éléfants, éléphants] font sauter les pingouins

à la corde à danser en faisant tourner leur [tronpe, trompe].

Mais où sont passés les gardiens du zoo [. , ?]

RÉCAPITULATION!

Bonjour, chers parents !

C'est à votre tour de donner la dictée à votre enfant. À la fin du premier cycle du primaire, un texte moyen compte environ 80 mots. Lisez le texte doucement, prononcez bien chaque mot et répétez-les au besoin.

Ce n'est pas un concours de vitesse.

Le papa et la maman de Maxime sont très contents. Maxime a roulé en vélo à deux roues tout seul. Ses parents ont décidé de lui donner un cadeau pour lui dire bravo. Ils sont allés au magasin. Papa voulait acheter une clochette. Maman préférait un nouveau casque. Maxime a hésité plusieurs minutes. Il a finalement choisi la clochette rouge et jaune. Son papa avait un grand sourire. Il avait proposé le jouet que Maxime voulait avoir. Maxime est parti vite pour montrer sa clochette à son amie Lili.

LE PLURIEL DES MOTS

Les trucs d'Émilio!

Certains mots prennent un «**x**» au pluriel.
C'est le cas des noms qui se terminent par
«*au*», «*eau*» et «*eu*».

Exemples : un feu ➔ des feu**x**

un bateau ➔ des bateau**x**

le matériau ➔ les matériau**x**

Attention!
un pneu ➔ des pneus

1. Écris les mots suivants au pluriel.

a) Ma sœur me donne un cadeau pour ma fête.

Ma sœur me donne ____ _____ pour ma fête.

b) Julie adore le gâteau au chocolat.

Julie adore ____ _____ au chocolat.

c) Maurice ramasse la feuille avec un râteau.

Maurice ramasse ____ _____ avec ____ _____.

d) Le pompier éteint le feu dans la maison.

____ _____ éteignent ____ _____

dans ____ _____.

e) Océane mange une carotte, un céleri et un concombre.

Océane mange ____ _____, ____ _____

et ____ _____.

LE PLURIEL DES MOTS

Les trucs d'Émilio!

*En général, les mots qui se terminent par le son «**ou**»*
*prennent un «**s**» au **pluriel**.*

Exemple : le clou ➜ les clous

Il y a des exceptions :
des bijou**x**, des chou**x**, des genou**x**, des hibou**x**,
des caillou**x**, des joujou**x** et des pou**x**.

Encercle le bon mot entre les [ ].

Marilou est tombée à vélo et elle s'est blessée

[les genous, les genoux]. Elle est retournée chez elle

les yeux remplis de [larme, larmes]. Elle a nettoyé sa

[blessure, blessures] et elle a trouvé [un caillou, un caillous] dans

[son genoux, son genou] droit. La maman de [marilou, Marilou] l'a

consolée et elle lui a préparé [des biscuit, des biscuits] au chocolat.

Ensuite, Marilou est sortie dehors pour jouer avec

[ses amie, ses amies]. Pour se protéger du soleil, elle a mis

[son chapeau, son chapeaux] de plage.

LE PLURIEL DES NOMS

Les trucs d'Émilio !

D'autres mots changent complètement de finale au pluriel.

C'est le cas des mots qui se terminent en « al ».

Exemples : un cheval ➤ des chevaux

le journal ➤ les journaux

un mal de dos ➤ des maux de dos

1. Comment se terminent les mots au pluriel.

Écris correctement le mot dans la bonne colonne.

	S	X	aux
a) une pomme	des pommes		
b) le château			
c) un clou			
d) le cheval			
e) le bijou			
f) un chandail			
g) la sorcière			
h) l'orage			
i) mon pneu			
j) un camion			
k) le tableau			

2. Vrai ou faux ?

a) des souliers _____   b) les oiseaus _____   c) deux chapeaux _____

d) trois manteaus _____   e) les nez _____   f) les journals _____

g) des chous _____   h) trois râteaux _____

ACCORD DES NOMS ET DES ADJECTIFS

> **Les trucs d'Émilio !**
>
> On doit toujours accorder les noms et les adjectifs
> en genre et en nombre.

Exemples : **une** pomme vert**e** (féminin et singulier)

les soulier**s** vert**s** (masculin et pluriel)

1. Écris les groupes du nom au féminin.

Exemple : joli garçon → joli**e** fille

a) Le papa est gentil. → _____.

b) un grand garçon → _____

c) Le coq est brun. → _____.

d) mon nouveau voisin → _____

2. Écris les groupes du nom au pluriel.

Exemple : chandail vert → chandail**s** vert**s**

a) la belle voiture rouge → _____

b) le géant féroce → _____

c) la pomme rouge et juteuse → _____

_____

DICTÉE

Lis les phrases et encercle le bon mot entre les [ ].

La chicane

À l'école de Josianne, on apprend à régler les [conflits, conflit] de manière pacifique. Pour y arriver, on explique aux élèves qu'il est très [inportant, important] de se calmer avant de [tanté, tenter] de discuter avec les autres élèves. On [doigt, doit], en plus, utiliser des [mots, Mots] qui ne blesseront pas les autres dans leurs [sentiments, sentiment]. Plusieurs [élève, élèves] sont choisis pour devenir des [médiateurs, médiateux]. Que fait donc le médiateur quand il y a un conflit à régler ? Eh bien ! Il aide [les zenfants, les enfants] qui sont en chicane à respecter les règles de base pour résoudre [l'heure, leur] conflit plus facilement. Josianne est une excellente médiatrice. [Elle, elle] sait écouter et respecter ceux qui demandent son aide, et surtout, elle adore aider les plus petits qu'elle.

LES HOMOPHONES

Les trucs d'Émilio !

Les homophones sont des mots qui se prononcent de la même façon mais qui s'écrivent différemment.

*On écrit « **a** » quand on peut le remplacer par « **avait** » sans changer le sens de la phrase.*

Exemple : Ma chienne **a** quatre chatons.

On peut dire : Ma chienne **avait** quatre chatons.

Écris *a* ou *à* dans la phrase.

a) Marco __ hâte de se baigner dans sa nouvelle piscine.

b) Loulou __ toujours un bon dîner.

c) Ma sœur va __ son cours de danse __ chaque samedi.

d) Mon grand-père __ reçu une belle montre en cadeau.

e) Mon professeur vient __ l'école en vélo.

f) Le chat de Marie __ mangé mon lacet de soulier.

g) J'ai donné une petite moto __ mon cousin.

h) Cet été, j'irai __ la plage avec mon oncle.

LES HOMOPHONES

Écris *son* ou *sont*.

a) Au printemps, les fleurs _____ colorées.

b) Mon petit frère prend _____ bain le soir.

c) Mon voisin tond _____ gazon avec _____ tracteur.

d) La nouvelle mariée prend _____ bouquet de fleurs.

e) Les enfants _____ heureux de jouer dehors.

f) Mes parents _____ allés en voyage.

g) Les coureurs _____ épuisés.

h) Il faut que mon père porte _____ manteau.

i) Lucas dépose _____ bateau sur la rivière.

LES HOMOPHONES

Les trucs d'Émilio !

ont : c'est le verbe avoir au présent.

Il peut être remplacé par **avaient**.

Exemple : Les enfants ont dansé toute la journée.

on : c'est un pronom qui se remplace par **il**.

Exemple : On adore jouer aux échecs.

Écris *on* ou *ont*.

a) Demain, _____ ira au restaurant. _____ va fêter en grand.

b) Les élèves _____ étudié très fort. Ils _____ réussi leur dictée.

c) _____ a gagné le tournoi. _____ était fiers.

d) Les tortues _____ une carapace très dure.

e) _____ mange bien chez tante Lili.

f) Les chats de ma grand-mère _____ de longues moustaches.

g) Les chiens _____ mangé leur pâté goulûment.

DICTÉE

Lis les phrases et récris le bon mot entre les [ ].

Le corps humain

Le corps humain est une machine extraordinaire. [Mes, Mais] _____

est-ce que nous connaissons vraiment [sont, son] _____ rôle ?

Le corps [à, a] _____ plus de 600 muscles. Ils [on, ont] _____

tous une forme et une taille particulière. C'est grâce [à, a] _____

nos muscles que [l'on, l'ont] _____ peut bouger toutes les parties

de notre corps. [Ont, On] _____ peut sourire, chanter, sauter

et écrire avec nos muscles. [On, Ont] _____ doit prendre soin

de notre corps en mangeant de bons aliments et en buvant beaucoup

d'eau. De plus, plus [on, ont] _____ bouge, plus nos muscles

deviennent puissants. Ils [son, sont] _____ le gardien des os.

Ils recouvrent le squelette pour protéger nos os des chocs

et des cassures.

LE VERBE

Les trucs d'Émilio !

*Pour écrire une phrase, on utilise des **mots d'action**.*
pour indiquer ce qui se passe dans la phrase.

*Le verbe peut indiquer ce qui se passe **aujourd'hui (présent)**,*
*ce qui s'est passé **avant (imparfait)***
*ou ce qui se passera **bientôt (futur)**.*

1. Encercle les verbes dans les phrases suivantes.

a) Olivier écrit une belle histoire.

b) Ma tante prépare des biscuits.

c) Les danseurs font des pirouettes.

d) Les filles chantent une jolie chanson.

e) Le professeur donne des dictées tous les vendredis.

2. Écris le bon verbe.

a) Nicolas _____ avec son camion.
  (joue / danse)

b) Sonia _____ un ballon à son amie.
  (lit / lance)

c) Virginie _____ ses dents avant de dormir.
  (brosse / mange)

d) Mon petit frère _____ dans son lit.
  (finit / dort)

LE VERBE AVOIR

Les trucs d'Émilio !

Le verbe **avoir** est un verbe important, car il est utilisé avec d'autres verbes pour former les temps composés.

Au présent	À l'imparfait	Au futur
J'ai	J'avais	J'aurai
Tu as	Tu avais	Tu auras
Il a	Il avait	Il aura
Nous avons	Nous avions	Nous aurons
Vous avez	Vous aviez	Vous aurez
Ils ont	Ils avaient	Ils auront

1. Écris le verbe _avoir_ au _présent_.

a) C'est ma fête et j'_____ huit ans.

b) Ma tante _____ une grosse grippe.

c) Nous _____ une nouvelle voiture qui roule vite.

d) Tu _____ un beau vélo rouge et vert.

2. Encercle le verbe _avoir_ au bon temps de verbe.

a) Hier, tu [as, avais, auras] froid dehors.

b) Demain, nous [avons, avions, aurons] une belle surprise.

LE VERBE ÊTRE

Les trucs d'Émilio!

*Le verbe **être** est aussi un verbe important,*
utilisé avec d'autres verbes pour former les temps composés.

Au présent	À l'imparfait	Au futur
Je suis	J'étais	Je serai
Tu es	Tu étais	Tu seras
Il est	Il était	Il sera
Nous sommes	Nous étions	Nous serons
Vous êtes	Vous étiez	Vous serez
Ils sont	Ils étaient	Ils seront

1. **Encercle le verbe qui est écrit correctement.**

   a) Lucas [est, était, sera] très grand pour son âge.

   b) Le bateau de mon père [est, était, sera] vendu demain.

   c) Hier, [je suis, j'étais, je serai] malade.

   d) Dans deux semaines, nous [sommes, étions, serons] en vacances.

   e) Les enfants [sont, étaient, seront] en forme en ce moment.

DICTÉE

Lis les phrases et encercle le bon mot entre les [ ].

La rentrée scolaire

[C'est, c'est] la rentrée scolaire dans

quelques jours. [Je suis allé, J'ai été]

au magasin avec mon père pour [jeter, acheter] tout ce dont

[j'aurai, j'aurez] besoin en début d'année. En arrivant au magasin,

nous [êtes, sommes] allés dans la rangée des cahiers et des crayons.

Nous [aurons, avons] trouvé tout ce qui est [écrit, écrire] sur ma liste.

Ensuite, [je suis, j'ai] demandé à mon père si je [pouvait, pouvais]

avoir un nouveau sac d'école. Il m'a dit : « Nous [poudrons,

pourrons] revenir la semaine prochaine. » Le magasin [étaient, était]

sur le point de fermer. Je [choisirer, choisirai] un grand sac à dos

rouge qui [auront, aura] l'image de mon super héros préféré sur le

dessus. J'[ai, es] vraiment hâte de revoir mes amis et de

[recommencer, refaire] l'école.

LES VERBES DU Ier GROUPE

Les trucs d'Émilio!

Le verbe **aimer** est un verbe du 1er groupe car il se termine par ER.

La conjugaison de tous les autres verbes en ER se termine

de la même façon, sauf le verbe aller. Ici, ils sont écrits au **présent**.

Exemples : AIM**ER**   PARL**ER**

J'aim**e**   Je parl**e**

Tu aim**es**   Tu parl**es**

Il aim**e**   Il parl**e**

Nous aim**ons**   Nous parl**ons**

Vous aim**ez**   Vous parl**ez**

Ils aim**ent**   Ils parl**ent**

Les verbes suivants sont-ils bien écrits?

a) Le chien jappe très fort. __oui__

b) Mon chat lèches ses pattes. _____

c) Je chantent une belle comptine. _____

d) Les enfants jouent au ballon-chasseur. _____

e) Vous marcher trop vite pour moi. _____

f) L'hiver, nous aimont faire du patin. _____

g) Tu glisses sur une peau de banane. _____

LES VERBES DU IER GROUPE

Les trucs d'Émilio !

*Les verbes en ER se terminent également
de la même façon au **futur** et à l'**imparfait**.*

Exemples :

FUTUR	IMPARFAIT
J'aime<u>rai</u>	J'aim<u>ais</u>
Tu aime<u>ras</u>	Tu aim<u>ais</u>
Il aime<u>ra</u>	Elle aim<u>ait</u>
Nous aime<u>rons</u>	Nous aim<u>ions</u>
Vous aime<u>rez</u>	Vous aim<u>iez</u>
Ils aime<u>ront</u>	Ils aim<u>aient</u>

Complète le tableau.

	FUTUR	IMPARFAIT
Exemple : donner	Je donnerai	Je donnais
a) découper	Tu _____	Tu _____
b) marcher	Il _____	Il _____
c) pleurer	Nous _____	Nous _____
d) chanter	Vous _____	Vous _____
e) sauter	Ils _____	Elles _____

LE PRONOM PERSONNEL

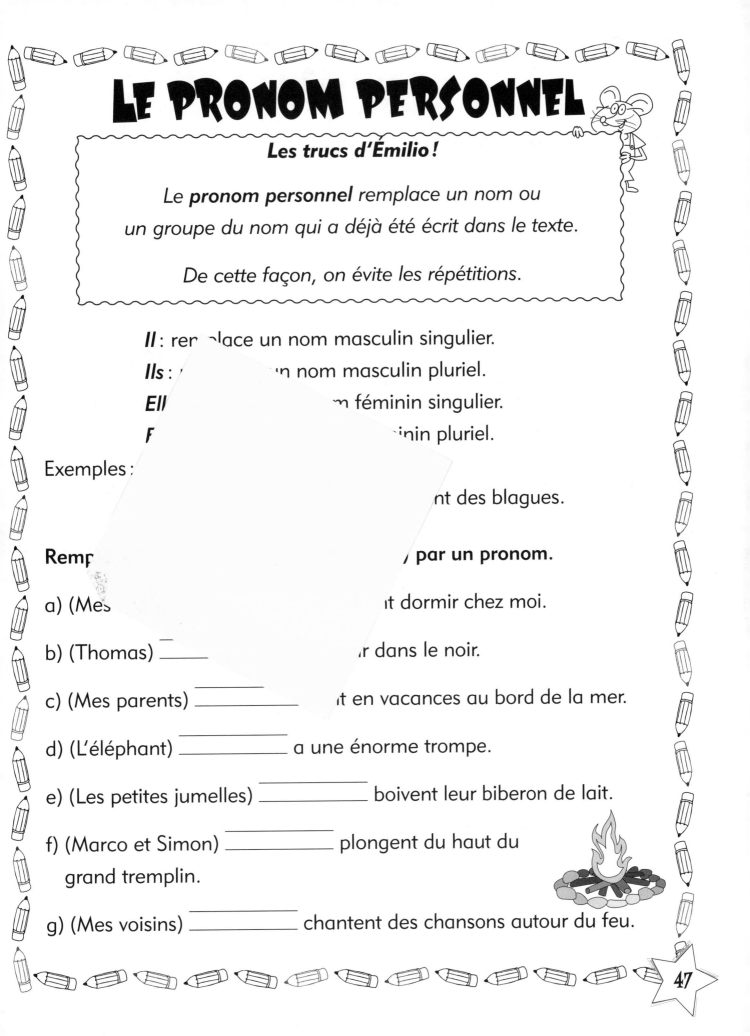

Les trucs d'Émilio !

Le **pronom personnel** remplace un nom ou
un groupe du nom qui a déjà été écrit dans le texte.

De cette façon, on évite les répétitions.

Il : remplace un nom masculin singulier.

Ils : ___ un nom masculin pluriel.

Ell ___ m féminin singulier.

F ___ inin pluriel.

Exemples : ___ nt des blagues.

Rem ___ par un pronom.

a) (Mes ___ t dormir chez moi.

b) (Thomas) _____ r dans le noir.

c) (Mes parents) _____ t en vacances au bord de la mer.

d) (L'éléphant) _____ a une énorme trompe.

e) (Les petites jumelles) _____ boivent leur biberon de lait.

f) (Marco et Simon) _____ plongent du haut du
grand tremplin.

g) (Mes voisins) _____ chantent des chansons autour du feu.

DICTÉE

**Lis les phrases et encercle
le bon mot entre les [ ].**

La baignade

L'année dernière, mes parents

[on, ont] acheté une piscine.

Mon frère Maxime et moi, nous

[étions, étaient] très heureux.

La première fois, mon petit frère [avais, avait] peur. [Il, Ils] flottait

avec beaucoup de difficulté, alors que moi, je [sautais, sautait] dans

l'eau. Mon petit frère [a, à] grandi. Dans quelques mois, nous nous

[baignerons, baigneront] et je crois qu'il [seras, sera] plus courageux.

J'espère que mes parents [aideront, aiderons] mon petit frère pour

qu'il [glisses, glisse] du haut de la glissoire. J'espère que je

[plongeras, plongerai] du tremplin sans avoir trop peur. Peut-être

que je [pourra, pourrai] inviter les élèves de ma classe pour qu'[il, ils]

se baignent avec moi.

À TOI DE JOUER!

Tu dois maintenant appliquer ce que tu viens d'apprendre.

Lis les phrases et encercle le bon mot ou le bon groupe de mots entre les [ ].

Dans la jungle

Si [tu marche, tu marches] dans la jungle, [tu risques, tu risquais] de rencontrer plusieurs animaux. Le roi de la jungle, c'est le lion. C'est un animal [puissant, puissante] qui fait partie de la famille des félins. [Il est, Ils est] donc cousin avec le tigre. Dans la jungle, [ont peut, on peut] aussi rencontrer d'autres animaux comme l'éléphant. [C'es, C'est] un très gros animal et il [a, à] de grandes oreilles. L'éléphant [auront, a] un nez très spécial. En fait, [sont, son] nez s'appelle une trompe. [Il, Elle] lui permet de boire, de manger et de respirer. Certains animaux [sont, son] plus petits comme le serpent et le lézard. [On, Ont] les voit moins facilement parce que [la couleur, la couleurs] de leur corps ressemble au feuillage des arbres qui l'entourent. Il faut donc ouvrir les yeux pour réussir à les voir.

RÉCAPITULONS !

Bonjour, chers parents !

C'est de nouveau votre tour de donner la dictée à votre enfant. Lisez doucement le texte, prononcez bien chaque syllabe et répétez les mots au besoin. N'oubliez pas ! Ce n'est pas un concours de vitesse.

Les mots soulignés sont des mots qui peuvent être plus difficiles pour votre enfant. Vous pouvez donc l'aider à écrire ces mots.

Je suis malade

Ce matin, j'ai de la fièvre. Mon front est tout chaud. Ma langue est pâteuse et mes yeux sont rouges. Ma mère a pris ma température. Elle dit que c'est trop élevé. C'est décidé. Je ne vais pas à l'école

aujourd'hui. Maman veut que je me repose. Je dormirai avec mon ourson préféré. Je regarderai la télévision un petit peu et je mangerai de la soupe au poulet. Maman dit que demain, je serai guéri. Merci, maman !

LA PHRASE

Les trucs d'Émilio !

*La **phrase** est composée de plusieurs mots.*
Elle exprime une idée complète qui a du sens.

La phrase commence toujours par une lettre majuscule
et se termine par un point.

1. Les phrases ont-elles du sens ? Réponds oui ou non.

a) Thimothé mange un gros camion. _____

b) Ma petite sœur regarde un film. _____

c) Je dessine avec un ballon rouge. _____

d) Mes amis et moi aimera danser. _____

e) Le policier a arrêté un voleur. _____

2. Encercle les erreurs dans les phrases suivantes.

a) maman chante une Jolie berceuse.

b) Le Vélo de Sophie est brisé

c) le chaton se lèche les pattes

51

LA PHRASE NÉGATIVE

Les trucs d'Émilio !

La phrase est négative lorsqu'elle interdit quelque chose ou qu'elle dit non. Dans la phrase négative, il y a :

ne … pas	n' … pas
ne … plus	n' … plus
ne … jamais	n' … jamais

Exemple : Je <u>ne</u> veux <u>pas</u>.

1. Fais un X dans la bonne colonne.

	NÉGATIVE	POSITIVE
Exemple : J'adore la soupe aux légumes.		X
a) Maria ne veut pas dormir.		
b) Olivier étudie tous les soirs.		
c) Les élèves ne font jamais d'erreurs.		
d) Laurie n'est pas arrivée ce matin.		
e) Pierrot est un grand sportif.		

2. Transforme les phrases suivantes en phrases négatives. Utilise *ne … pas* ou *n' … pas*.

a) Magali chante une berceuse à son ourson.

_____

_____

b) Ma voisine aime nourrir les oiseaux.

_____

_____

LA PHRASE INTERROGATIVE

Les trucs d'Émilio !

La phrase interrogative pose une question.

Elle commence par une majuscule et

se termine par un point d'interrogation (?).

Exemples : **Combien** de pommes sont rouges ?

Est-ce que je peux aller jouer dehors ?

Quand iras-tu à l'école ?

Où sont passées tes lunettes ?

Qui veut du lait ?

Transforme les phrases en phrases interrogatives.

a) |Laurie| a très mal aux dents.

_____

_____

b) |Antoine| a pris mon vélo pour aller à l'école.

_____

_____

c) Le bébé boit son lait à |7 heures.|

_____

_____

d) Vous jouez au soccer |dans le parc.|

_____

_____

Pour t'aider, regarde les mots qui sont encadrés dans la phrase. Ils te donneront un bon indice du mot que tu dois utiliser au début de ta phrase.

DiCTÉE

**Lis les phrases et encercle le bon mot
ou le bon groupe de mots entre les [ ].**

Qui suis-je ?

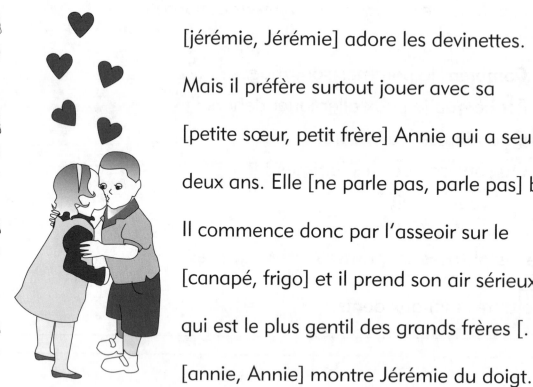

[jérémie, Jérémie] adore les devinettes.

Mais il préfère surtout jouer avec sa

[petite sœur, petit frère] Annie qui a seulement

deux ans. Elle [ne parle pas, parle pas] beaucoup.

Il commence donc par l'asseoir sur le

[canapé, frigo] et il prend son air sérieux. «Annie,

qui est le plus gentil des grands frères [. , ?] »

[annie, Annie] montre Jérémie du doigt.

«Annie, qui est le plus beau garçon au monde ? » Annie montre

encore Jérémie avec son petit doigt [. , ?] «Annie, est-ce que tu

m'aimes ? » Annie descend du canapé et [Saute, saute] dans les bras

de Jérémie. [elle, Elle] lui fait un gros câlin en criant : «Annie aime

Jérémie ! » Jérémie sourit à pleines dents. Jérémie aime aussi Annie.

LE MARQUEUR DE RELATION

Les trucs d'Émilio !

Certains mots sont souvent utilisés dans les phrases
pour préciser l'ordre dans lequel se passent les actions.
*Ces mots sont des **marqueurs de relation**.*

Exemples : **Premièrement, deuxièmement, troisièmement,**
tout d'abord, ensuite, finalement, par la suite, etc.

Ces mots sont invariables.
Donc, ils s'écrivent toujours de la même façon.

Écris le bon mot pour compléter les phrases du texte.
Utilise *d'abord, finalement, deuxièmement* ou *ensuite*.

Après l'école, viens me rejoindre chez moi. Pour te rendre, tu dois

_____ prendre la rue Des Fleurs et marcher

jusqu'au bout. _____ tu dois tourner à gauche

et passer devant le parc. Tu fais environ

cent pas et tu traverses la rue.

_____ lorsque tu verras

la maison avec les pignons rouges, tu seras

_____ arrivé chez moi.

À bientôt !

LES MOTS OUTILS

Les trucs d'Émilio !

Certains mots que l'on écrit peuvent préciser le moment, la fréquence, l'endroit, le comment.

Ces mots sont invariables.
Donc, ils s'écrivent toujours de la même façon.

Exemples : Antoine parle toujours en classe.

Je ne dirai plus jamais de mensonges.

Complète la phrase avec le bon mot.

a) (Quand, Jamais) _____ Martine était petite, elle était

bavarde. (Pendant, Maintenant) _____ elle ne parle

(encore, plus) _____ .

b) Mon père travaille (chaque, enfin) _____ jour.

c) Le violon de ma sœur est (gauche, sur) _____ son lit.

d) Place-toi (arrière, derrière) _____ Maxime.

C'est lui le premier.

e) Nathan aime (beaucoup, puis) _____ aller au

cinéma. Il y va très (rare, souvent) _____

(avec, enfin) _____ ses amis.

LES MOTS OUTILS

Les trucs d'Émilio !

*Plusieurs mots nous permettent
de nous situer dans l'espace.*

Exemples : La voisine est **sur** son balcon.

Mon frère est **dans** la piscine.

**Regarde l'image et complète les phrases avec
les mots de l'encadré.**

intérieur

derrière

au-dessus

sous

entre

gauche

droite

a) Les camions sont _____ des poupées.

b) Les oursons sont _____ les livres et les poupées.

c) Maman est _____ le panier.

d) Les oursons sont à _____ des livres.

e) Le panier est _____ la tablette.

DICTÉE

Lis les phrases et encercle le bon mot entre les [ ].

Le labyrinthe

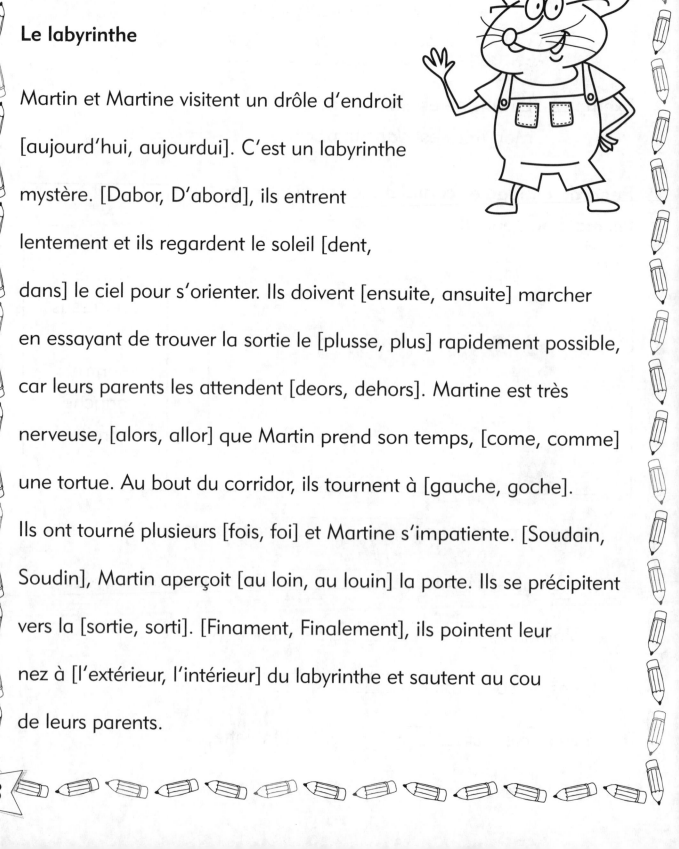

Martin et Martine visitent un drôle d'endroit [aujourd'hui, aujourdui]. C'est un labyrinthe mystère. [Dabor, D'abord], ils entrent lentement et ils regardent le soleil [dent, dans] le ciel pour s'orienter. Ils doivent [ensuite, ansuite] marcher en essayant de trouver la sortie le [plusse, plus] rapidement possible, car leurs parents les attendent [deors, dehors]. Martine est très nerveuse, [alors, allor] que Martin prend son temps, [come, comme] une tortue. Au bout du corridor, ils tournent à [gauche, goche]. Ils ont tourné plusieurs [fois, foi] et Martine s'impatiente. [Soudain, Soudin], Martin aperçoit [au loin, au louin] la porte. Ils se précipitent vers la [sortie, sorti]. [Finament, Finalement], ils pointent leur nez à [l'extérieur, l'intérieur] du labyrinthe et sautent au cou de leurs parents.

DICTÉE

Lis les phrases et encercle le bon mot ou le bon groupe de mots entre les [ ].

Mademoiselle Météo

Quels vêtements faut-il porter ce matin [. , ?] Pour le savoir, Sarah regarde dehors et [il, elle] cherche des indices sur le temps qu'il fera. Tout d'abord, elle [observes, observe] le ciel. Sarah [ne voit pas, voit pas] le soleil. Il est caché [arrière, derrière] de gros nuages. Elle se tourne [ansuite, ensuite] vers le pommier qui est [devant, devan] sa maison. [Ses, C'est] feuilles ne bougent pas [beaucoup, bocoup].

Sarah ferme ses yeux et laisse le vent souffler dans ses cheveux. Brrrrrr ! Le vent [est, sont] froid ce matin. Tout à coup, Sarah frissonne. Elle reçoit une goutte d'eau sur le bout de son nez.

Sarah [décident, décide] donc qu'elle mettra son imperméable et qu'[il, elle] apportera son parapluie, car elle prévoit qu'il y aura un terrible orage [aujourd'hui, aujourdui].

DICTÉE

Écris correctement les mots entre les [ ].

L'hiver

L'hiver est la saison la plus [froid, froide] _____ de l'année. Il

débute à la fin du mois de [décembre, Décembre] _____ et

prend fin au mois de mars. Pendant [le hiver, l'hiver] _____

les arbres semblent endormis, puisqu'ils [on, ont] _____

perdu toutes leurs feuilles. L'ours hiberne, c'est-à-dire qu'il dort tout

l'hiver. On pourrait croire que les [fleur, fleurs] _____ et les

plantes ont peur de la neige, puisqu'[elles, elle] _____

disparaissent avant que la neige recouvre le sol. Mais de quoi la

neige est-elle faite [. , ?] _____ De laine? De mousse blanche? En

hiver, lorsqu'il gèle, la pluie se transforme en [Flocons, flocons]

_____ de neige avant de tomber sur la terre. Il [faut pas, ne

faut pas] _____ oublier tous les

sports d'hiver comme le ski, la raquette

et la glissade. Le froid est donc vite oublié,

grâce à tous les [plaisirs, plaisir] _____

que l'hiver nous apporte. Viens! On va faire

une bataille de boules de neige!

DICTÉE

Écris correctement les mots entre les [ ].

Saute, belle grenouille !

Gribou la grenouille est très [coquine, coquin] _____ _____.

Elle adore sauter d'un nénuphar à l'autre en [chanter, chantant]

_____ des chansons [rigolotes, rigolote] _____.

[gribou, Gribou] _____ est bien particulière. Puisqu'elle

[boit jamais, ne boit jamais] _____, elle doit mouiller

[sa, ça] ____ peau souvent. C'est de cette [facon, façon]

_____ qu'elle s'hydrate. Gribou est une [chanpionne,

championne] _____ nageuse. Grâce à [ses, c'est] _____

pattes palmées, elle peut avancer [trait, très] _____

rapidement dans l'eau. As-tu déjà vu la langue d'une grenouille

[?, .] ____ Lorsque Gribou veut manger, elle déroule sa langue pour

capturer les [petit, petits] _____

insectes qu'elle aime tant. Grâce à elle, il

y a moins de mouches qui nous tournent

autour durant l'été. Merci, Gribou !

DICTÉE

Écris correctement les mots entre les [ ].

Picot le lutin

Picot est un mignon [petit lutin, petite lutin] _____. Il [à, a] _____ de beaux cheveux bruns cachés [sou, sous] _____ son bonnet vert. Il porte un [chandail, chandaille] _____ jaune et bleu. Il a dans ses [piés, pieds] _____ de drôles de chaussures de couleur orangée. Picot [fabriquent, fabrique] _____ des jouets en bois. [Il, Elle] _____ doit fabriquer un petit soldat.

Il a presque terminé. Il ne lui reste qu'à faire un bras. Le soldat [se tiennent, se tient] _____ debout sur un cercle noir.

[Son, Sont] _____ chapeau rouge est très grand. Le petit [Soldat, soldat] _____ porte un veston rouge et un pan- talon bleu foncé. Sur son veston, [picot, Picot] _____ a mis [deux, deu] _____ boutons noirs. Je me demande qui recevra un si [jolie, joli] _____ soldat en cadeau.

DICTÉE

Écris correctement les mots entre les [ ].

C'est ma fête ?

Le professeur de [sophia, Sophia] ＿＿＿＿＿ commence toujours

la journée en changeant la date [sur, au-dessus] ＿＿＿＿＿ le

calendrier. Chaque fois, elle [demandes, demande] ＿＿＿＿＿

à un élève d'écrire le [nouveau, nouveaux] ＿＿＿＿＿ jour de la

semaine. Antoine est un champion du [calendrier, calandrier]

＿＿＿＿＿. Il dit aux autres élèves qu'il y a sept [jours, jour]

＿＿＿＿＿ dans une semaine et qu'il y a douze mois dans

l'année. Sophia [à, a] ＿＿ souvent la tête dans la lune. Elle veut

venir à l'école le [Samedi, samedi] ＿＿＿＿＿ et le dimanche.

Même à la maison, Sophia est très distraite.

Ce matin, elle [voulais, voulait]

＿＿＿＿＿ manger de la pizza pour le

petit déjeuner. Sa maman lui a plutôt donné

[une bonne bol, un bon bol] ＿＿＿＿＿ de céréales. Sophia

se souviendra-t-elle que c'est sa fête demain [. , ?] ＿＿

DICTÉE

Écris correctement les mots entre les [ ].

Recette de pizza sourire

Maxime est un excellent cuisinier. [sa, Sa] _____ recette préférée

[es, est] _____ la pizza sourire. Voici [les étapes, une étape]

_____

_____ à suivre.

— Prendre un [pain, pin] _____ pita.

— Mettre le pain [sur, sous] _____ une plaque à biscuits.

— Étendre [du sauce, de la sauce] _____ tomate sur le pita.

— Râper du [Fromage, fromage] _____ .

— [Déposer, déposer] _____ le fromage généreusement sur

toute la pizza.

— Couper un poivron rouge et des [chanpignons, champignons]

_____ en tranches.

— Faire deux [yeux, yeus] _____ avec les champignons et

un sourire [avec, avêc] _____ une tranche de poivron.

— Mettre une olive [noire, noirs]

_____ pour faire le nez.

— Cuire au four 15 [minute, minutes]

_____ .

Bon appétit !

DICTÉE

Écris correctement les mots entre les [ ].

Milou

Mon père [ma, m'a] _____ acheté un petit chien qui s'appelle

[milou, Milou] _____. C'est une bête au poil

[brun, brune] _____ comme du chocolat. Milou est un chiot

[taquin, taquine] _____ et surtout, [gourmande, gourmand]

_____. [Elle, Il] _____ mange tout le temps.

Lorsqu'[il n'a pas, il a pas] _____ le museau collé à son

bol, il est caché [arrière, derrière] _____ le canapé pour

manger [mes, mais] _____ souliers. Milou est aussi un grand

chasseur. Tôt le matin, il sort dehors et il se met à courir [envers,

après] _____ les moustiques et les [moineau, moineaux]

_____. Milou [adores,

adore] _____ se

promener dans le quartier. Milou,

c'est une vedette. Tout le monde

[la trouve belle, le trouve beau]

_____.

DICTÉE

Écris correctement les mots entre les [ ].

Les plantes carnivores

Savais-tu que certaines plantes [mange, mangent] _____

de la viande ? [Ont, On] _____ les appelle les plantes carnivores. La

plupart des plantes ont besoin [dos, d'eau] _____ et de soleil pour

vivre et grandir. La plante carnivore a besoin, en plus, de manger

des insectes et des petits animaux pour avoir [assé, assez] _____

d'énergie. Les insectes [sont, son] _____ souvent attirés par les

fleurs de la plante carnivore ou par leur nectar. [L'insecte, Les

insectes] _____ sont pris au piège lorsqu'[il, ils] _____ se

posent sur ses feuilles parce [qu'elles, qu'elle] _____ sont

collantes. Il y a même des plantes qui sont plus [intelligentes,

intelligent] _____. Au moment où un insecte se pose sur

l'une de ses feuilles, elle se ferme sur lui et

elle le mange. [Mes, Mais] _____ il ne

faut pas avoir peur. Les plantes carnivores ne

mangent pas les enfants !

DICTÉE

Écris correctement les mots entre les [ ].

Bonne fête des Mères !

[Cher, Chère] _____ grand-maman, je t'envoie [sept, cette]

_____ carte pour te dire que je m'ennuie de toi. Comme

on ne s'est pas vus depuis six mois, tu vas voir que toute la [famille,

famil] _____ a bien changé. [Gabou, gabou] _____

a grandi. Il marche seul maintenant. Papa a fait [couper, coupe]

_____ sa moustache, alors que maman a changé la couleur

de ses [cheveux, cheveus] _____. Ils sont blonds maintenant.

Pour ma part, je suis devenue une [grand et joli, grande et jolie]

_____ jeune fille. Je travaille fort à l'école pour que tu

sois fière de moi. Nous [seront, serons] _____ chez toi dans

une semaine pour célébrer la fête des [Mères,

Mers] _____ avec toi. Tu [est, es] _____

la plus gentille grand-maman de toute la Terre

et je t'aime à la folie. Je t'embrasse fort.

Lisanne xxxx

DICTÉE

Écris correctement les mots entre les [ ].

L'Halloween

Cette année, pour l'[halloween, Halloween] _____, je me

déguise en [magicien, magiciens] _____. Mon père

m'accompagne pour la collecte des bonbons. [Elle, Il] _____

porte un costume de [Pirate, pirate] _____. Mon

[amie, ami] _____ Sophie sera une princesse et mon cousin

[tino, Tino] _____ sera un policier. Sophie porte une grande robe

en dentelle rose et elle [détruit, dépose] _____ ses gâteries

dans un sac garni de brillants. J'ai bien hâte d'aller visiter le

[châteaux, château] _____ hanté qui est dans ma rue. On

y verra des monstres, des momies et des [fantomes, fantômes]

_____. Attention ! Voici la sorcière

[sous, sur] _____ son balai. Elle tient son

[poule noire, chat noir] _____

sur ses genoux. Elle vole aussi [eau, haut]

_____ que les étoiles.

DICTÉE

Écris correctement les mots entre les [ ].

Au Carnaval d'hiver de Québec

Nicolas et Alicia [son, sont] _____ en vacances au Carnaval

d'hiver. Ils y [passent, passes] _____ trois jours à visiter

la ville et [à, a] _____ s'amuser puisqu'il y a plusieurs activités. Le

[Premier, premier] _____ matin, ils décident de se

rendre à la glissade géante. [Il, Ils] _____ doivent s'habiller

[froidement, chaudement] _____ car il fait très froid

[dehors, dehor] _____ Ils mettent

leur chapeau de fourrure et leur grand foulard

de laine que [grand-maman, Grand-maman]

_____ a tricoté. Nicolas propose

de dormir [au, eau] _____ château de glace

le deuxième soir. Alicia [à, a] _____ peur d'avoir trop froid, mais

Nicolas lui explique que c'est impossible. Finalement, ils [regardent,

regarde] _____ le défilé du Bonhomme Carnaval avant

de repartir pour la maison. Bon congé, les copains !

DICTÉE

Écris correctement les mots entre les [ ].

La marchande de glace

C'est la fin de la journée et je retourne [a, à] _____ la maison.

Sur ma route, je vois un joli camion. Il y [a, à] _____ des gens qui

courent partout. [Mes, Mais] _____ que se passe-t-il? Je cherche un

indice avec [mais, mes] _____ yeux. Soudain, mon cœur bat plus

vite. C'est la marchande de glace. [Son, Sont] _____ camion est

décoré de couleurs [a, à] _____ faire rêver. Les enfants [son, sont]

_____ pressés de se mettre [a, à] _____ la file indienne. Je fouille

dans [mes, mais] _____ poches pour

prendre [mes, mais] _____ sous.

Pendant ce temps, je pense [a, à]

_____ la saveur de glace que je vais

choisir. Une glace [a, à] _____ la

vanille, quel délice! À bientôt,

madame la marchande de glace!

DICTÉE

Écris correctement les mots entre les [ ].

Au fil des saisons

Olivia [a, as] _____ fait une recherche

[au dessus, sur] _____ les

arbres. Maintenant, elle [connaîs, connaît]

_____ tout sur eux. [Elle, Il] _____ sait que les arbres

sont [vivants, vivantes] _____. Les arbres utilisent leurs

racines pour se nourrir [dans, dent] _____ le sol. En plus,

Olivia a lu que les arbres [changent, changes] _____

avec les saisons. Au printemps, l'arbre fait des bourgeons qui

deviendront des fleurs ou des feuilles. En été, [elle sera, il sera]

_____ tout vert et il aura des fruits sur ses branches. Il

va perdre ses feuilles lentement à l'automne et [enhiver, en hiver]

_____ il n'aura plus de feuilles du tout. Olivia était très

surprise d'apprendre que pour connaître l'âge d'un arbre, il suffit de

compter les anneaux que l'on trouve en regardant l'une de ses

bûches. Elle est surtout [eureuse, heureuse] _____ de

tout savoir sur eux maintenant.

DICTÉE FINALE

Chers parents !

C'est maintenant le moment tant attendu. Vous donnerez ici la dictée finale, celle qui fait le tour des règles vues dans ce cahier. Lisez doucement, prononcez bien chaque syllabe et chaque mot. Répétez les mots ou les phrases au besoin. Aidez votre enfant lors de la révision de son texte. Faites-lui penser de regarder ses majuscules et ses points. Dites-lui de mettre ses lunettes du pluriel. Puis, aidez-le à repérer les verbes et à les accorder avec leur sujet. Découpez la feuille de la page 73, et donnez-la à l'enfant pour qu'il y écrive la dictée.

Les noms des planètes et des astres prennent une majuscule.

La Terre

Nous vivons sur la planète <u>Terre</u>. C'est une grosse boule froide comme un ballon. La <u>Terre</u> tourne autour du <u>Soleil</u>. Lui, il est très chaud. Sur la Terre, on trouve beaucoup d'eau. Quand on voit la Terre de l'espace, elle est bleue. Dans <u>certains</u> endroits, la Terre est recouverte de sable. C'est le désert ! <u>Il y a</u> aussi les forêts. Dans les forêts, <u>il y a</u> beaucoup d'arbres. C'est dans la forêt que j'ai construit ma maison dans les arbres.

LA DICTÉE FINALE !

Votre nom : _____

CORRIGÉ

Page 5

a) jambon   b) jambe
c) ambulance   d) tambour
e) framboise   f) chambre
g) lampe   h) champignon

Page 7

a) printemps b) trompette c) sandales
d) tempête   e) pompier   f) entendre
g) timbre

Page 7

décembre, concours, championne,
demande, concombres, prudente,
janvier, tombée, trampoline,
l'ambulance.

Page 9

1. a) l'éléphant   b) enfants
   c) fantômes   d) téléphone
   e) trophée   f) forêt
   g) alphabet

2. a) d   b) f   c) c   d) a

Page 9

a) champignons   b) beigne
c) araignées   d) peigne
e) ligne   f) montagne

Page 10

trophée, gagnante, gagner, consignes,
photo, araignée, éléphant, l'alphabet,
baignoire, L'enseignant.

Page 11

a) gorille   b) espadrille
c) famille   d) chenille
e) coquille   f) maquillage
g) pastille   h) cheville

Page 12

une bataille, un caillou, il travaille,
un éventail, un maillot.

Page 13

a) une feuille   b) un fauteuil
c) un soleil   d) une oreille
e) une grenouille   f) une citrouille
g) un appareil photo
h) un réveille-matin

Page 14

a) soleil   b) citrouille   c) oreille
d) abeille   e) grenouille   f) fauteuil
g) feuille   h) chandail   i) bouteille
j) vadrouille k) épouvantail
l) réveille-matin

Page 15

famille, coquillages, soleil, grenouilles,
brille, chandail, maillot, papillon,
travailler.

Page 16

a) araignée b) lait c) beigne d) sifflet
e) bracelet f) jouet g) reine h) baleine
i) neige j) laine k) robinet l) alphabet

Page 17

1. a) bateau   b) gâteau
   c) table   d) pantalon

2. a) père   b) fête
   c) école   d) élève
   e) tête   f) fenêtre
   g) poupée   h) lumière

3. a) Ma mère joue de la flûte à toute heure.

   b) Nicolas décore le cadeau qu'il a préparé pour son frère.

   c) Montréal est une grande île.

   d) Amélie habite dans un grand château.

   e) Ma grand-mère a très peur des araignées.

Page 18

avant-midi, casse-tête, arc-en-ciel, pique-nique, chauve-souris, français, cerf-volant, garçon

Page 19

garçon, grenouilles, soir, leçons, pêche, boîte, maïs, coffret, hameçons, rivière, champion, gagne, nombre, dizaine.

Page 20

1. a) le, un   b) l', un
   c) les, des   d) la, une
   e) les, des   f) l', un
   g) les, des   h) l', un
   i) les, des

2.

le	la	l'	les
pompier	bicyclette	automne	fleurs
pinceau	feuille	avion	enfants
tableau		arbre	

Page 21

1. a) sa   b) tes   c) mon   d) ton
   e) son   f) ses   g) ta   h) mes
   i) ma

2. a) mes cahiers   b) tes camions
   c) les dragons

Page 22

ma famille, mes bagages, des chandails, mon maillot, les journées, mes parents, la table, Ma petite sœur, son livre, les étoiles.

Page 23

a) jardinier   b) plantes   c) soleil, ciel, jardin   d) râteau, feuilles, arbre
e) bottes, chapeau   f) papa, abeille

Page 24

1.

	animal	personne	chose	nom commun	nom propre
Antoine		X			X
bibliothèque			X	X	
Montréal			X		X
dinosaure	X			X	
Caroline		X			X
Nemo	X				X
pupitre			X	X	
bricolage			X	X	
poisson	X			X	
professeur		X		X	
Milou	X				X

2. Sophie aime jouer avec sa (P)oupée préférée. Elle s'appelle (m)ini. Le frère de (S)ophie adore jouer au camion avec son (A)mi (p)ierrot.

Moi, mon activité préférée, c'est de me promener à vélo avec mon ourson Bilbo.

Page 25

a) jolie b) grands, bleus, blanches
c) petit d) rose, rouges e) frisés, blonds
f) coquine, meilleure

Page 26

sœur, élèves, Sabrina, l'Afrique, petit, Marco, amie, Sabrina, Chine, Kim, animalerie, maison, perroquet, Coco, lapin, Bozo, Maxime, Québec, garçon, gentil.

Page 27

1. a) féminin b) féminin c) masculin
   d) masculin e) masculin f) féminin

2. a) un   b) un   c) une   d) une
   e) un   f) une

3. a) la   b) le   c) la   d) la   e) le   f) le

Page 28

1. a) pluriel   b) singulier
   c) singulier   d) singulier
   e) pluriel   f) pluriel
   g) singulier   h) pluriel
   i) pluriel   j) singulier

2. a) des élèves   b) les pompiers
   c) des médecins   d) des framboises
   e) les capitaines f) des professeurs

Page 29

a) les flèches   b) des noix
c) les ballerines   d) les perdrix
e) des souris   f) les épouvantails
g) des astronautes   h) les ours
i) des pois

Page 30

animaux, promènent, secrets, La girafe cherche, par la queue, crinière, grenouilles, éléphants, trompe, ?

Page 32

a) des cadeaux
b) les gâteaux
c) les feuilles, des râteaux
d) Les pompiers, les feux, les maisons
e) des carottes, des céleris, des concombres

Page 33

les genoux, larmes, blessure, un caillou, son genou, Marilou, des biscuits, ses amies, son chapeau.

Page 34

1. a) s   b) x   c) s   d) aux   e) x   f) s
   g) s   h) s   i) s   j) s   k) x

2. a) Vrai   b) Faux   c) Vrai   d) Faux
   e) Vrai   f) Faux   g) Faux   h) Vrai

Page 35

1. a) La maman est gentille.
   b) une grande fille
   c) La poule est brune.
   d) ma nouvelle voisine

77

2. a) les belles voitures rouges
   b) des géants féroces
   c) des pommes rouges et juteuses

Page 36

conflits, important, tenter, doit, mots, sentiments, élèves, médiateurs, les enfants, leur, Elle.

Page 37

a) a b) a c) à, à d) a e) à f) a g) à h) à

Page 38

a) sont   b) son   c) son, son
d) son   e) sont   f) sont
g) sont   h) son   i) son

Page 39

1. a) on, On   b) ont, ont
   c) On, On   d) ont
   e) On   f) ont
   g) ont

Page 40

Mais, son, a, ont, à, l'on, On, On, on, sont.

Page 41

1. a) écrit   b) prépare
   c) font   d) chantent
   e) donne

2. a) joue   b) lance
   c) brosse   d) dort

Page 42

1. a) ai   b) a   c) avons
   d) as   e) avez

2. a) avais   b) aurons

Page 43

1. a) est   b) sera   c) j'étais
   d) serons   e) sont

Page 44

C'est, Je suis allé, acheter, j'aurai, sommes, avons, écrit, j'ai, pouvais, pourrons, était, choisirai, aura, ai, recommencer.

Page 45

a) oui   b) non   c) non   d) oui
e) non   f) non   g) oui

Page 46

a) découperas, découpais
b) marchera, marchait
c) pleurerons, pleurions
d) chanterez, chantiez
e) sauteront, sautaient

Page 47

a) Elles   b) Il   c) Ils
d) Il   e) Elles   f) Ils
g) Ils

Page 48

ont, étions, avait, Il, sautais, a, baignerons, sera, aideront, glisse, plongerai, pourrai, ils.

Page 49

tu marches, tu risques, puissant, Il est, on peut, C'est, a, a, son, Elle, sont, On, la couleur.

Page 51

1. a) non   b) oui   c) non
   d) non   e) oui

2. a) Maman chante une jolie berceuse.
   b) Le vélo de Sophie est brisé.
   c) Le chaton se lèche les pattes.

Page 52

1. a) négative b) positive c) négative
   d) négative e) positive

2. a) Magali ne chante pas une berceuse à son ourson.
   b) Ma voisine n'aime pas nourrir les oiseaux.

Page 53

a) Est-ce que Laurie a très mal aux dents?
b) Qui a pris mon vélo pour aller à l'école?
c) Quand le bébé boit-il son lait?
d) Où jouez-vous au soccer?

Page 54

Jérémie, petite sœur, ne parle pas, canapé, ? , Annie, . , saute, Elle.

Page 55

d'abord, Deuxièmement, Ensuite, finalement.

Page 56

a) Quand, Maintenant, plus
b) chaque   c) sur   d) derrière
e) beaucoup, souvent, avec

Page 57

a) au-dessus b) entre   c) derrière
d) gauche   e) sous

Page 58

aujourd'hui, D'abord, dans, ensuite, plus, dehors, alors, comme, gauche, fois, Soudain, au loin, sortie, Finalement, l'extérieur.

Page 59

?, elle, observe, ne voit pas, derrière, ensuite, devant, Ses, beaucoup, est, décide, elle, aujourd'hui.

Page 60

froide, décembre, l'hiver, ont, fleurs, elles, ?, flocons, ne faut pas, plaisirs.

Page 61

coquine, chantant, rigolotes, Gribou, ne boit jamais, sa, façon, championne, ses, très, ?, petits.

Page 62

petit lutin, a, sous, chandail, pieds, fabrique, Il, se tient, Son, soldat, Picot, deux, joli.

Page 63

Sophia, sur, demande, nouveau, calendrier, jours, a, samedi, voulait, un bon bol, ?

Page 64

Sa, est, les étapes, pain, sur, de la sauce, fromage, Déposer, champignons, yeux, avec, noire, minutes.

Page 65

m'a, Milou, brun, taquin, gourmand, Il, il n'a pas, derrière, mes, après, moineaux, adore, le trouve beau.

Page 66

mangent, On, d'eau, assez, sont, Les insectes, ils, qu'elles, intelligentes, Mais.

Page 67

Chère, cette, famille, Gabou, couper, cheveux, grande et jolie, serons, Mères, es.

Page 68

Halloween, magicien, Il, pirate, amie, Tino, dépose, château, fantômes, sur, chat noir, haut.

Page 69

sont, passent, à, premier, Ils, chaudement, dehors, grand-maman, au, a, regardent.

Page 70

à, a, Mais, mes, Son, à, sont, à, mes, mes, à, à.

Page 71

a, sur, connaît, Elle, vivants, dans, changent, il sera, en hiver, heureuse.